Usbor

100
Children's
Wordsearches
Animals

Phil Clarke

Illustrated by the Pope Twins
Designed by Michael Hill

Edited by Sam Taplin

ABOUT THIS BOOK

The goal of a wordsearch is to find in the grid all the words shown below and to draw around them. In Wordsearches 1–30 the hidden words are only written across or down the grid. From Wordsearch 31 some are written diagonally, and from Wordsearch 51 onwards they may be written backwards too.

Example puzzle

G	I	L	E	M	U	R
N	O	O	B	A	B	C
O	G	R	T	L	L	H
B	N	I	I	T	R	I
B	A	S	O	L	O	M
I	N	D	R	I	L	P
G	E	Y	A	E	Y	A

Solution

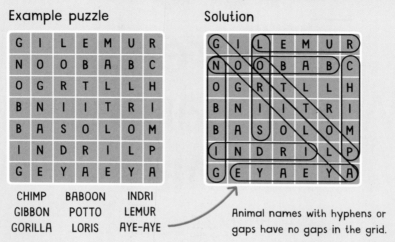

CHIMP   BABOON   INDRI
GIBBON   POTTO   LEMUR
GORILLA   LORIS   AYE-AYE

Animal names with hyphens or gaps have no gaps in the grid.

These wordsearches feature animals from all around the world. This map shows the places mentioned in the headings.

Arctic Ocean

Siberian forests

NORTH AMERICA

EUROPE

ASIA

Gobi Desert

Pacific Ocean

Atlantic Ocean

Med.

Himalayas

China

Japan

Sahara Desert

India

AFRICA

Southeast Asia

New Guinea

Galapagos Islands

Amazon rainforest

The Congo

SOUTH AMERICA

Fl.

Car.

Pacific Ocean

Andes

Atlantic Ocean

Indian Ocean

AUSTRALIA

Madagascar

Southern Ocean

New Zealand

ANTARCTICA

Car. = Caribbean Sea
Fl. = Florida Everglades
Med. = Mediterranean Sea

BABY ANIMALS

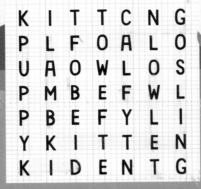

```
K I T T C N G
P L F O A L O
U A O W L O S
P M B E F W L
P B E F Y L I
Y K I T T E N
K I D E N T G
```

KITTEN   KID   PUPPY
LAMB   OWLET   CALF
FOAL   GOSLING   EFT

```
S C U B F L Y
N H F D A E G
V I R J W V E
M C Y G N E T
F K I T F R R
U B R J O E Y
P I G L E T V
```

LEVERET   CUB   CYGNET
CHICK   FAWN   JOEY
FRY   PIGLET   KIT

DOGS

3

A	G	R	U	G	A	T	B	S
S	L	A	B	R	A	D	O	R
F	I	L	A	E	B	E	X	V
B	Z	S	H	A	R	P	E	I
A	L	A	S	T	I	U	R	Z
S	G	T	A	D	O	G	R	S
S	H	I	B	A	I	N	U	L
E	B	A	I	N	U	S	H	A
T	R	N	K	E	L	P	I	E

PUG · GREAT DANE
FILA · ALSATIAN
KELPIE · SHAR PEI
VIZSLA · BOXER
BASSET
SHIBA INU
LABRADOR

4

LHASA APSO
CHIHUAHUA
MALAMUTE
BULLDOG
SHIH TZU
MASTIFF
BEAGLE
KOOLIE
CORGI
PEKE
PULI

B	U	L	B	E	A	G	L	E
U	M	A	L	A	M	U	T	E
L	H	A	S	A	A	P	S	O
L	P	A	S	P	S	E	H	O
D	E	C	F	U	T	R	I	L
O	K	O	O	L	I	E	H	I
G	E	R	M	I	F	N	T	E
B	E	G	L	E	F	A	Z	K
C	H	I	H	U	A	H	U	A

Puzzle 5

ST. BERNARD
DALMATIAN
FOXHOUND
SAMOYED
WHIPPET
HARRIER
AFGHAN
SALUKI
COLLIE
AKITA
CHOW

S	D	A	W	C	H	O	W	S
F	A	K	I	O	T	A	H	T
O	L	S	A	L	U	K	I	B
X	M	O	Y	L	F	D	P	E
H	A	R	R	I	E	R	P	R
O	T	B	R	E	N	D	E	N
U	I	A	F	A	K	I	T	A
N	A	F	G	H	A	N	F	R
D	N	S	A	M	O	Y	E	D

Puzzle 6

H	U	S	K	Y	H	U	N	D
P	A	P	I	L	L	O	N	A
A	B	A	S	E	N	J	I	C
S	P	N	I	E	L	D	O	H
P	O	I	N	T	E	R	P	S
I	O	E	N	J	I	B	U	H
T	D	L	L	O	N	A	M	U
Z	L	B	O	R	Z	O	I	N
W	E	L	K	H	O	U	N	D

Love

PUMI
SPITZ
HUSKY
BORZOI
POODLE
SPANIEL
BASENJI
POINTER
PAPILLON
ELKHOUND
DACHSHUND

ATLANTIC OCEAN

7

COD
LOBSTER
SEA SLUG
HADDOCK
MACKEREL
BLUE WHALE
SEAHORSE
WRASSE
OYSTER
SHRIMP
TUNA

```
S E A S H R I M P
W T U N A W R A S
R H S D D O K C L
A C E O D L E K O
S E A H O R S E B
S H S L C O D R S
E E L N K M B E T
B L U E W H A L E
S U G O Y S T E R
```

8

```
B U L L S H A R K
F M S C T A B E B
I A P H A G U P A
N N O K R I L L R
W T N R F H S A N
H A G F I S H I A
A R E D S F A C C
L A L G H T E E L
E Y S A R D I N E
```

MANTA RAY   EEL
FIN WHALE   HAGFISH
SARDINE   STARFISH
BARNACLE   SPONGE
BULL SHARK   PLAICE
                 KRILL

```
A N C H O V Y J G
N O T U R T L E S
G C P O C Y O L A
E T S D A Q Q L W
L O Q C H O V Y F
F P U F F I N F I
I U I D S A W I S
S S D O G F I S H
H A L I B U T H S
```

ANGELFISH
OCTOPUS
HALIBUT
PUFFIN
SQUID
ORCA
TURTLE
SAWFISH
DOGFISH
ANCHOVY
JELLYFISH

SEA URCHIN
FLOUNDER
SEA FAN
GANNET
WALRUS
SOLE
PORGY
HERRING
SEA LION
DOLPHIN
PORPOISE

```
P D O L P H I N E
C P B D F E O U S
S O L E L R P K E
W R E P O R G Y A
A P N R U I C H L
L O G A N N E T I
R I P O D G Y O O
U S E S E A F A N
S E A U R C H I N
```

IN THE TOWN

```
K E E T H P W S H
J S P A R R O W P
G P I E A M O U A
G R I A B T E D E R
A D D E G U L L A
Y E D D W L O U K
C R E B M O U S E
T H R U S H S O E
H M A G P I E S T
```

WOODLOUSE   GULL
PARAKEET   ADDER
BEDBUG   SPIDER
THRUSH   MAGPIE
MOUSE   SPARROW
RAT

12

FALCON   GECKO
RABBIT   BADGER
GOOSE   RACCOON
FROG   STARLING
WASP   HOUSEFLY
FOX   COCKROACH

```
R C G O O S E N G
F O E X B A D G S
G C C R A B B I T
S K K E D E F L A
F R O G G B A D R
H O U S E F L Y L
W A S P R S C F I
S C R A C C O O N
S H R E V T N X G
```

57
76

13

HEDGEHOG   BAT
CENTIPEDE   MOTH
COYOTE   PIGEON
SKUNK   OPOSSUM
ANOLE   STINK BUG
DUCK   WILD BOAR

```
W C O B A T E K C
I E P N N E M S H
L N I C O Y O T E
D T G E L S T I D
B I E T E K H N G
O P O S S U M K H
A E N T I N E B C
R D U C K K L U Q
H E D G E H O G L
```

14

```
M U N K Y E B A K
S Q U I R R E L C
F X B E E T E L P
U T E R M I T E Z
R E F S O U L R R
O G R A N T E C M
B L A C K B I R D
I M O L E J E O P
N E R V Y E L W O
```

ANT
MOLE
ROBIN
BEETLE
MONKEY
BLACKBIRD
SQUIRREL
TERMITE
CROW

ALONG THE RIVERBANK

```
B U M B G R E B E E
U D L R P E M S P N
M I N K C T C W R A
A P Y G B R E A M F
Y P F R V O C N O O
F E T C H U B I O S
L R M O U T S E R H
Y F L Y P E R C H R
R B U M B L E B E E
M O O P H E M R N W
```

SWAN   MOORHEN   MINK
PERCH   BREAM   GREBE
DIPPER   SHREW   TROUT
BUMBLEBEE CHUB   MAYFLY

```
M A L A H D R N E K
W A T R O A C H V I
H E W A T E N C H N
T P R C T M D E O G
K I N B E A V E R F
C K A C R L N K N I
H E R O N L K T E S
E R V O C A R P T H
S W A T E R V O L E
T T E R R D A C H R
```

COOT   KINGFISHER   PIKE
HERON   BEAVER   TENCH
HORNET   OTTER   ROACH
WATER VOLE   CARP   MALLARD

CORAL REEF

TUBE SPONGE
HERMIT CRAB
SEA URCHIN
TOADFISH
CHITON
CONCH
SHRIMP
SCALLOP
FROGFISH
SEA KRAIT

```
S T A S C A L L O P
T U S E A K R A I T
F B R A F I S H L O
R E A U R C H C N A
O S H R I M P H T D
G P X C H L T I N F
F O G H F I S T H I
I N U I O Z T O A S
S G E N A C O N C H
H E R M I T C R A B
```

```
B P A I N C Q S B L
S U G R O U P E R B
E F Y A F C O R A L
A F S E A S Q U I U
S E A A N E M O N E
Q R S E C Q W N C T
U F A N O R A L O A
I I N G R O U B R N
R S S E A C O W A G
T H U B L W H E L K
```

GROUPER
BLUE TANG
FAN CORAL
SEA ANEMONE
BRAIN CORAL
PUFFERFISH
SEA SQUIRT
SEA COW
WHELK

P	S	T	I	N	G	R	A	Y	A
U	S	U	N	C	O	R	A	L	N
R	T	R	S	E	A	S	L	U	G
P	A	T	Q	A	T	U	R	T	E
L	R	L	U	B	A	L	O	N	L
E	F	E	I	A	N	G	E	M	S
S	I	Q	D	L	I	M	P	O	H
A	S	E	A	O	T	T	E	R	A
I	H	M	A	N	O	F	W	A	R
L	I	M	P	E	T	R	A	Y	K

SQUID ANGELSHARK
LIMPET PURPLE SAIL
MORAY SUN CORAL
ABALONE SEA SLUG
STINGRAY STARFISH
SEA OTTER TURTLE
MAN-OF-WAR

GIANT CLAM
CUTTLEFISH
CLOWNFISH
SEAHORSE
WRASSE
SALP
COWRIE
SCULPIN
SEA SNAIL
JOHN DORY

S	C	U	L	P	T	N	F	S	C
J	O	H	N	D	O	R	Y	S	U
R	W	S	C	U	L	P	I	N	T
Z	R	E	A	S	M	A	I	L	T
G	I	A	N	T	C	L	A	M	L
W	E	S	O	W	R	A	S	S	E
O	W	N	F	I	S	H	C	A	F
S	E	A	H	O	R	S	E	L	I
C	F	I	M	G	S	H	L	P	S
S	C	L	O	W	N	F	I	S	H

BIRDS OF NEW ZEALAND

```
P  A  P  W  N  K  O  E  A  K
O  U  F  E  R  N  B  I  R  D
P  T  A  K  A  H  E  L  U  E
O  P  O  A  R  K  L  T  N  K
K  A  K  A  R  O  L  R  T  O
O  P  I  R  A  E  B  A  U  P
T  A  K  A  H  K  I  W  I  O
E  N  B  I  R  O  R  T  E  A
A  G  B  L  U  E  D  U  C  K
K  O  P  A  R  A  K  E  E  T
```

PARAKEET	KIWI	POPOKOTEA
KOEKOEA	KAKA	FERNBIRD
TAKAHE	PAPANGO	BELLBIRD
TUI	BLUE DUCK	WEKA

```
M O R W W R Y B I F
K T A R A P U N G A
A P R Y T A M A R N
K I K B T O M T I T
A P R I L M K E R A
R I F L E M A N O I
I P A L B A K A R L
K I E A I K A K I M
I F M O R E P O R K
R I R A D A O K O R
```

TARAPUNGA	KEA	MOREPORK
RIRORIRO	WRYBILL	KAKARIKI
KAKAPO	RIFLEMAN	TOMTIT
FANTAIL	WATTLEBIRD	PIPIPI

CATTLE

P	I	N	J	G	A	U	E	R	B
A	U	N	E	B	L	U	E	P	A
R	E	F	R	D	I	E	R	I	Z
T	O	U	S	I	M	U	E	N	A
H	E	R	E	F	O	R	D	Z	A
E	R	E	Y	L	U	V	P	G	A
N	Z	G	A	U	S	I	C	A	I
A	R	T	H	E	I	N	L	U	S
I	B	R	A	U	N	V	I	E	H
S	R	E	D	P	O	L	L	R	Y

RED POLL
BRAUNVIEH
PINZGAUER
LIMOUSIN
BLUE
HEREFORD
PARTHENAIS
BAZADAIS
JERSEY

ANGUS
WATUSI
GELBVIEH
CHIANINA
SIMMENTAL
VORDERWALD
ILLAWARRA
GUERNSEY
AYRSHIRE
CARACU
SALERS

I	A	S	I	M	M	G	V	S	V
L	C	A	R	A	C	U	S	C	O
L	L	A	W	A	G	E	A	H	R
A	M	S	A	L	E	R	S	I	D
W	A	U	T	S	L	N	I	A	E
A	N	G	U	S	B	S	Z	N	R
R	A	Y	S	H	V	E	R	I	W
R	C	H	I	A	I	Y	I	N	A
A	S	I	M	M	E	N	T	A	L
C	A	Y	R	S	H	I	R	E	D

GLAN
HOLSTEIN
CHARBRAY
LONGHORN
SHORTHORN
MAINE-ANJOU
CHAROLAIS
GALLOWAY
BRAHMAN
AUBRAC

```
G L O N G H O R N M
A B R S A Y G A L A
B R A H L A N G H I
M A H O L S T E I N
C H A R O L A I S E
N M A T W S U R T A
L A G H A R B R A N
O N L O Y N R N G J
C H A R B R A Y M O
G L N N G H C R N U
```

DANGI
SAHIWAL   HIGHLAND
BRANGUS   FRIESIAN
NORMANDE   SUSSEX
WELSH BLACK   DEXTER
SOUTH DEVON   WAGYU

```
S U S A H I W A L U
S O U T H D E V O N
E F S D I K L N V O
X R S N G U S O B R
F I E S H A H R R M
D E X T E R B M A A
A S H I G H L A N D
H I W A L D A N G I
W A G Y U N C D U S
A N O R M A K E S X
```

EUROPEAN WOODLAND

```
G R W D P O L L B S
O L O W I L D C A T
S W O L N X Y S D A
H E D G E H O G G G
A A M A M L E N E B
W S O J A Y O W R E
K E U A R N P J R E
X L S I T X B F Q T
B G E R E D P O L L
S T A W N Y O W L E
```

PINE MARTEN   WEASEL   WOOD MOUSE

TAWNY OWL   REDPOLL   GOSHAWK

HEDGEHOG   STAG BEETLE   BADGER

WILDCAT   JAY

LYNX

```
W O D R A B B I T S
O G A L L W A S P A
O E S Q U I R R E L
D R T L R L K T W A
P O T O A D B E O M
E E O G X B E M O A
C D E F R O E E D N
K E S T O A T D A D
E E T L E R L A N E
R R E D D E E R T R
```

RABBIT   WOODPECKER   TOAD

ROE DEER   WILD BOAR   RED DEER

GALL WASP   SQUIRREL   WOOD ANT

SALAMANDER   STOAT   BARK BEETLE

SHARKS

```
N S H Q R E T W H I T
U T I G E R S H A R K
R B L U E S H A R K M
S O U P F I N L D K A
E D L R S T G E R H K
S O U P H I N S H A O
H G R E A T W H I T E
A F P O R B E A G L E
R I G E K S H R A K H
K S U B L A C K T I P
N H O R N S H A R K L
```

WHALE SHARK	REEF SHARK	HORN SHARK
GREAT WHITE	TIGER SHARK	BLUE SHARK
PORBEAGLE	NURSE SHARK	BLACKTIP
DOGFISH		MAKO
SOUPFIN		

B	W	T	H	R	E	S	H	E	R	N
U	O	A	A	S	P	I	N	N	E	R
L	B	S	M	P	B	X	B	S	W	K
L	B	F	M	L	B	G	R	L	H	C
S	E	V	E	N	G	I	L	L	I	A
H	G	S	R	U	W	L	A	S	T	T
A	O	B	H	Z	G	L	X	Y	E	S
R	N	M	E	G	A	M	O	U	T	H
K	G	L	A	I	X	G	I	L	I	A
S	A	N	D	T	I	G	E	R	P	R
G	L	E	M	O	N	S	H	A	R	K

HAMMERHEAD   SPINNER   WOBBEGONG

MEGAMOUTH   SEVENGILL   SANDTIGER

CATSHARK   BULL SHARK   THRESHER

WHITETIP   LEMON SHARK   SIXGILL

INDIAN JUNGLE

```
B A M G Q L I N L C Z
P E A F O W L T A H B
U H N I K A R A N I L
R P Y G M Y H O G N M
P A L M A I V E U K L
L N U G R L E T R A O
E G I A K C T A H R W
F O G V L R A I N A L
R L N I L G A I G Z E
O I P A L M C I V E T
G N I L C A I E T B R
```

BENGAL TIGER   NILGAI   PURPLE FROG

PALM CIVET   LANGUR   PYGMY HOG

PEAFOWL   CHINKARA   PANGOLIN

OWLET   GAVIAL

TAHR   KRAIT

G	A	S	M	A	C	A	Q	U	E	Z
A	C	E	L	E	P	H	A	N	T	D
U	E	C	B	O	R	A	A	N	F	H
M	D	O	L	E	T	R	S	E	J	O
O	R	B	A	S	C	H	I	T	A	L
N	N	R	Q	S	T	D	B	H	C	E
G	U	A	U	R	G	N	D	E	K	F
O	N	R	G	J	A	C	A	N	A	B
O	A	D	L	E	U	W	S	A	L	R
S	B	L	U	E	R	O	B	I	N	E
E	L	E	H	P	N	A	T	R	I	S

SARUS CRANE	GAUR	SLOTH BEAR
MONGOOSE	COBRA	MACAQUE
ONAGER	JACANA	JACKAL
CHITAL	ELEPHANT	DHOLE
	BLUE ROBIN	

MICRO-BEASTS

```
P  E  P  M  U  T  W  O  R  V  A
A  R  E  T  I  C  E  L  H  O  D
S  W  A  T  E  R  B  E  A  R  B
T  C  N  C  L  O  C  S  I  T  F
E  N  U  M  T  D  Y  N  R  I  L
N  U  T  D  O  R  C  M  Y  C  A
T  F  W  P  T  E  L  R  B  E  T
O  C  O  P  E  P  O  D  A  L  W
R  S  R  R  T  I  P  E  C  L  O
I  U  M  F  A  T  S  L  K  A  R
F  P  A  R  A  M  E  C  I  U  M
```

PEANUT WORM	FORAM	WATER BEAR
VORTICELLA	STENTOR	FLATWORM
COPEPOD	HAIRYBACK	CYCLOPS
ISOPOD	PARAMECIUM	SCUD

S E E D S H R I M P M
N H U G L E N A O M U
F E A G F L M Y S I D
F L M I L L A T S I D
S I T A N E I D A O R
M O S A T I N N N L A
R Z S M U O A A I D G
I O Z O A T D N M R O
W A T E R F L E A P N
R N E B A T O D L E Y
H F L A G E L L A T E

MUD DRAGON	TANAID	SEED SHRIMP
FLAGELLATE	EUGLENA	HELIOZOAN
NEMATODE	WATER FLEA	ROTIFER
AMOEBA	MOSS ANIMAL	MYSID

FLORIDA EVERGLADES

```
S W G P R A C I R T S
N R A B B I O E G Z W
A L L I G A T O R B A
K I L N U T T C L L M
E M I L O T O A N U P
B P N M P A N T H E R
I I U G S I M F B H A
R K L I D R O I S E B
D I E R O N U S J R B
S N A K E B T H D O I
L C W I L D H O G N T
```

SWAMP RABBIT LIMPIKIN BLUE HERON
ALLIGATOR CARDINAL GALLINULE
PANTHER SNAKEBIRD WILD HOG
CATFISH COTTONMOUTH OTTER

IN A TIDE POOL

```
Q  J  A  M  O  C  O  C  K  L  E
S  E  A  U  R  C  H  I  N  N  Y
A  L  Y  S  E  A  N  M  O  N  E
N  L  S  S  P  O  G  M  E  N  Y
D  Y  U  E  T  O  E  W  M  B  S
D  F  B  L  E  N  N  Y  O  A  U
O  I  Q  U  A  H  O  G  M  R  Y
L  S  E  A  S  L  A  T  E  R  M
L  H  E  S  P  O  N  G  W  A  R
A  S  T  U  B  E  W  O  R  M  K
R  B  A  R  N  A  C  L  E  N  Y
```

SEA ANEMONE   COWRY   SEA SLATER
TUBEWORM   BLENNY   BARNACLE
JELLYFISH   RAGWORM   QUAHOG
SPONGE   SEA URCHIN   COCKLE
MUSSEL   SAND DOLLAR   GOBY

ENDANGERED ANIMALS

G	H	A	R	I	A	L	F	N	A	J
O	A	K	I	P	X	B	I	W	M	O
L	R	E	D	C	O	L	O	B	U	S
D	A	K	T	N	O	A	W	H	R	L
E	N	E	R	G	G	C	O	D	L	O
N	J	E	N	I	E	K	Y	L	E	W
T	H	A	A	F	N	R	L	H	O	L
O	P	S	L	O	R	H	I	S	P	O
A	M	V	R	L	P	I	E	D	A	R
D	A	K	I	P	U	N	J	I	R	I
B	L	A	X	O	L	O	T	L	D	S

AMUR LEOPARD   SAIGA   GOLDEN TOAD

BLACK RHINO   GHARIAL   PANGOLIN

AXOLOTL   SLOW LORIS   AKEKEE

KIPUNJI   RED COLOBUS   WOYLIE

```
G O R A N G U T A N R
I R L E G U I I X G E
B O E L I O R B L E D
B K N E A D R X B D P
J A V A N R H I N O A
S L E I T T A M L R N
G U T A S O U R N L D
J G V T A M A R A W A
K A L U B G A U T A N
H I R O L A N Q E L L
T S O L E N O D O N E
```

GREEN TURTLE   HIROLA   JAVAN RHINO

ORANGUTAN   GORILLA   RED PANDA

TAMARAW   SOLENODON   GIBBON

KALUGA   GIANT SABLE

INDRI

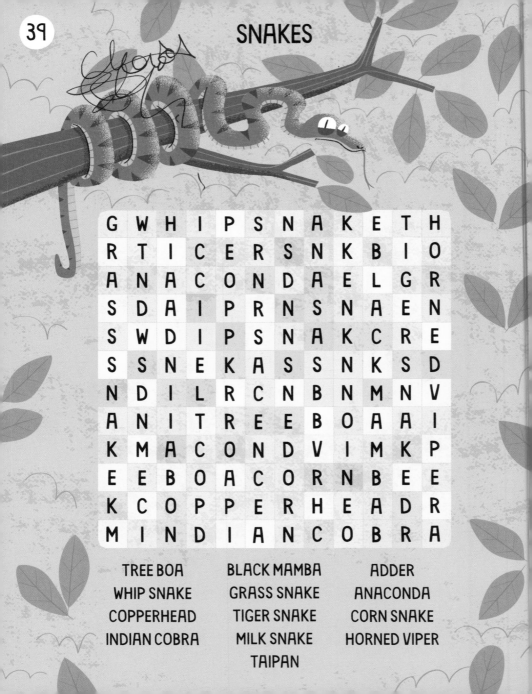

SNAKES

39

G	W	H	I	P	S	N	A	K	E	T	H
R	T	I	C	E	R	S	N	K	B	I	O
A	N	A	C	O	N	D	A	E	L	G	R
S	D	A	I	P	R	N	S	N	A	E	N
S	W	D	I	P	S	N	A	K	C	R	E
S	S	N	E	K	A	S	S	N	K	S	D
N	D	I	L	R	C	N	B	N	M	N	V
A	N	I	T	R	E	E	B	O	A	A	I
K	M	A	C	O	N	D	V	I	M	K	P
E	E	B	O	A	C	O	R	N	B	E	E
K	C	O	P	P	E	R	H	E	A	D	R
M	I	N	D	I	A	N	C	O	B	R	A

TREE BOA   BLACK MAMBA   ADDER

WHIP SNAKE   GRASS SNAKE   ANACONDA

COPPERHEAD   TIGER SNAKE   CORN SNAKE

INDIAN COBRA   MILK SNAKE   HORNED VIPER

TAIPAN

```
D C O R A T S N A K E G
K I N G C O B R A K N U
K R A Y T H O N A A C B
B O O M S L A N L I O U
P Y T H O N S S X T R S
I G R E E N M A M B A H
T S N A W O D K E S L M
V R B O O M T B A N S A
I G R B E I M A A B N S
P B T H A N E B A C A T
E G A R T E R S N A K E
R A K P U F F A D D E R
```

DIAMONDBACK   PYTHON
CORAL SNAKE   KING COBRA
BOOMSLANG   BUSHMASTER
PUFF ADDER   BROWN SNAKE
RAT SNAKE   GREEN MAMBA
PIT VIPER   GARTER SNAKE
KRAIT

THE CARIBBEAN

F	L	W	I	N	G	O	S	T	C	R	A
D	M	R	E	E	F	S	Q	U	I	D	R
W	P	A	R	R	O	T	R	Q	R	F	Q
A	N	S	N	Q	L	E	U	A	L	L	G
R	E	S	Q	A	P	D	Z	S	N	A	H
F	L	E	M	P	T	I	O	T	M	M	O
S	S	C	A	R	L	E	T	I	B	I	S
L	A	N	O	E	L	I	E	N	Z	N	T
O	S	T	L	R	A	S	L	G	T	G	C
T	R	O	P	I	C	B	I	R	D	O	R
H	N	S	Q	U	E	T	Z	A	L	S	A
A	N	A	T	E	E	F	S	Y	Q	I	B

SCARLET IBIS   WRASSE   ANOLE LIZARD

REEF SQUID   SNAPPER   TROPICBIRD

MANATEE   FLAMINGO   STINGRAY

PARROT   GHOST CRAB   QUETZAL

DWARF SLOTH

```
R C O A T I M U N D I A
E I S H A R T U R F L H
R E E F S H A R K R S B
O T A I F T M U O I D N
C O T G N R E E F G N S
K R U U R H U T I A O H
I R R O T O O I C T E N
G G T L Z R U I T E S U
U T L A R E L P C B A N
A R E A G E T B E I A D
N A P E P I C A N R A T
A T B A R R A C U D A N
```

ROCK IGUANA   HUTIA   FRIGATEBIRD

PARROTFISH   PELICAN   BARRACUDA

COATIMUNDI   GROUPER   REEF SHARK

SEA TURTLE   FRUIT BAT

TROGON

GRUNT

THE ARCTIC

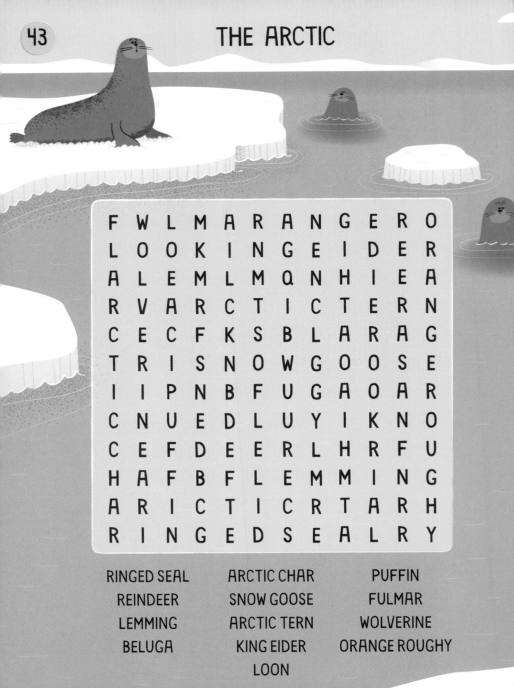

```
F W L M A R A N G E R O
L O O K I N G E I D E R
A L E M L M Q N H I E A
R V A R C T I C T E R N
C E C F K S B L A R A G
T R I S N O W G O O S E
I I P N B F U G A O A R
C N U E D L U Y I K N O
C E F D E E R L H R F U
H A F B F L E M M I N G
A R I C T I C R T A R H
R I N G E D S E A L R Y
```

RINGED SEAL   ARCTIC CHAR   PUFFIN

REINDEER   SNOW GOOSE   FULMAR

LEMMING   ARCTIC TERN   WOLVERINE

BELUGA   KING EIDER   ORANGE ROUGHY

LOON

```
W  H  O  O  D  W  H  A  L  L  E  B
R  A  R  C  T  I  C  H  A  R  E  O
H  R  M  I  N  W  F  L  A  V  R  W
O  P  S  T  E  L  A  E  Y  U  M  H
O  S  X  O  U  H  B  L  O  X  I  E
D  E  B  S  W  R  L  E  R  M  N  A
E  A  P  R  A  H  N  X  R  U  E  D
D  L  A  L  I  P  E  S  Q  S  S  W
S  N  O  W  Y  O  W  L  T  K  N  H
E  P  A  R  C  T  I  C  F  O  X  A
A  L  R  U  S  N  O  W  Y  X  N  L
L  K  I  L  L  E  R  W  H  A  L  E
```

NARWHAL   BOWHEAD WHALE   WALRUS

SNOWY OWL   POLAR BEAR   HARP SEAL

ARCTIC HARE   ARCTIC FOX   TURNSTONE

HOODED SEAL

KILLER WHALE

MUSK OX

ERMINE

SOUTHEAST ASIA

```
B I P D W I N E T K X E
R O T S U R I L I O N C
A I N C U P C U S M B H
I R D G E N E T F O X E
L Y I E G F B I R D W V
B P R M S L S E H O U R
A T I F I U N S A D G O
B L K T C M O O N R A T
B R I S T L E H E A D A
L S U R I A L I V G T I
E C F L Y I N G F O X N
R A I B I R D W I N G S
```

KOMODO DRAGON   PITTA   BRISTLEHEAD

CHEVROTAIN   SURILI   FLYING FOX

MOONRAT   TREEPIE   SUN BEAR

CUSCUS   BIRDWING   GENET

RAIL BABBLER

```
D T R A S I E R O S A N
N R B I N T U R O N G P
B E A R D E D P I G T Y
A E B C T L I N S A N G
N K I H U A M S C J P M
G A R Q B L A Y G A T Y
U N U R S I A M A N G P
T G S A N B M F L O P A
B A A H O R N B I L L R
O R A N G U T A N S H R
T O R O O N G B I L H O
B O P N T A R S I E R T
```

BAY CAT   DRACULA FISH
LINSANG   BEARDED PIG
HORNBILL   BINTURONG
BABIRUSA   SIAMANG
ORANGUTAN   TARSIER
PYGMY PARROT   ANOA
TREE KANGAROO

SAHARA DESERT

S	I	V	E	R	L	A	N	T	D	A	X
A	N	U	B	I	S	B	A	B	O	O	N
N	G	A	Z	U	L	K	E	R	A	M	T
D	E	D	T	H	S	T	H	Y	E	N	A
V	G	D	R	B	L	T	R	E	A	R	N
I	S	A	N	D	V	A	A	R	Y	S	T
P	K	X	Z	J	D	G	E	R	B	I	L
E	I	L	V	E	R	V	I	P	D	R	I
R	N	U	M	B	L	O	C	U	S	T	O
S	K	O	N	I	K	L	X	Y	U	K	N
G	R	B	S	H	E	Y	E	N	A	X	E
D	E	A	T	H	S	T	A	L	K	E	R

DROMEDARY   SKINK   DEATHSTALKER

BUSTARD   GERBIL   SAND VIPER

LOCUST   GAZELLE   ANTLION

HYENA   SILVER ANT   ADDAX

ANUBIS BABOON

J	A	K	C	A	L	A	N	L	E	R	B
E	V	N	S	A	N	D	L	A	R	K	A
R	O	U	S	E	O	X	T	N	M	J	R
B	F	J	L	A	R	S	H	N	E	S	B
C	H	E	E	T	A	H	T	E	P	A	A
A	D	R	N	R	U	S	E	R	H	N	R
P	A	B	B	N	Y	R	L	F	I	D	Y
E	B	O	S	T	E	A	E	A	H	C	S
H	C	A	P	E	K	C	R	L	E	A	H
A	F	A	L	C	O	N	F	C	Y	T	E
R	Z	S	A	N	D	G	R	O	U	S	E
E	V	J	L	T	U	F	E	N	X	C	P

CAPE HARE   JERBOA

JACKAL   SANDLARK

OSTRICH   BARBARY SHEEP

VULTURE   FENNEC FOX

SAND CAT   CHEETAH

SANDGROUSE   COBRA

LANNER FALCON

CAVE LIFE

```
C R A B C R A Y F I S H
A A M I P O M I L L C S
V I V G O R P T O N A N
E M F E I S H C A B V O
S I D A S W I F T L E T
H L Y R O C P I O I S T
R L R E P T O L E N W I
I I S D O P D R I D A T
M P A B D M O T P F L E
P E C A V E S N A I L E
S D O T T I T E N S O H
H E R A L D M O T H W N
```

SNOTTITE   BIG-EARED BAT   SWIFTLET

BLIND FISH   CAVE SHRIMP   MILLIPEDE

HERALD MOTH   AMPHIPOD   CAVE SNAIL

CAVE SCORPION   CRAYFISH   CAVE SWALLOW

ISOPOD

```
S C U B A N B O A H C H
P A A C V E C R I O A R
R V C V E A E N T R V R
I E P I E C N L D S E V
N C M L C M T G F E V E
G R O I L B I R D S H S
T I L O P P P D W H I T
A C A V B E E T G O V M
I K J N A P D G F E T A
L E E C H I E E E B F N
N T I C O C K R O A C H
C O C A V E B E E T L E
```

HORSESHOE BAT	OLM	CAVE CRICKET
CAVE BEETLE	OILBIRD	CAVE MIDGE
SPRINGTAIL	CUBAN BOA	CENTIPEDE
REMIPEDE	COCKROACH	LEECH
	HARVESTMAN	

BIRDS OF PREY

```
G R T A W M Y Q W K N G
O S W P E R E G R I N E
L A P R W N Y Q W L S R
D E L A W A R B E L O U
E I D A R Z Z V B W W T
N C R H O R N E D O W L
E E A G L E O W L Y H U
A Z Z U B D R W U N Z V
G O Z D E K O A H W L G
L V U L T I R E D A K N
E R B K I T E P O T W I
N S C R E E C H O W L K
```

RED KITE	GOLDEN EAGLE	HOBBY
EAGLE OWL	HORNED OWL	BUZZARD
SCREECH OWL	PEREGRINE	TAWNY OWL
SPARROWHAWK	MERLIN	KING VULTURE

```
E A G L W O E L T T I L
R N O C L A F R Y G E A
U G H S H A Y O S P R M
T I G A A E X D G P A M
L W O N R A B N Y R P E
U P A P R P W O A Z W R
V U S U I V Y C O W L G
E O N D S E A E A G L E
P E V U H R T U A R E I
A T K W A H S O G G V E
C A R C W R A S H A L R
G O S H K W K L I T L E
```

OSPREY   CAPE VULTURE

CONDOR   HARRIS HAWK

SEA EAGLE   HARPY EAGLE

CARACARA   LITTLE OWL

GYRFALCON   BARN OWL

LAMMERGEIER   GOSHAWK

HORSES

53

```
E L A D S E D Y L C C T
S H E T L N D N P O N H
R N A P P A L O O S A O
O H P A C M J P A L E R
H S E T L A N D P A N O
T H R O U G M N R E D U
N X C M U S T A N G U G
I S H I P K B L R V E H
A R E B I I N T F G O B
P E R N A R O E N Y U R
O M O N G O L H O R S E
S K N E R I H S H E T D
```

SHETLAND PONY   KONIK   THOROUGHBRED
PAINT HORSE   CAMARGUE   APPALOOSA
PERCHERON   CLYDESDALE   MUSTANG
ARABIAN   MONGOL HORSE   SHIRE

Q	A	D	M	O	P	Q	A	N	E	S	R
U	M	N	C	R	I	O	L	L	O	U	E
A	K	L	A	T	E	K	L	E	A	F	N
R	L	I	P	I	Z	Z	E	N	E	F	H
T	E	P	B	A	S	N	B	Z	E	O	E
E	F	I	L	P	S	U	A	L	F	L	K
R	D	Z	E	K	E	T	L	A	H	K	A
H	F	Z	O	R	D	P	A	N	P	R
O	N	A	G	R	O	M	F	B	D	U	T
R	H	N	E	N	P	S	A	N	O	N	B
S	F	E	Y	L	P	O	N	Y	P	C	A
E	S	R	O	H	D	R	O	J	F	H	R

SUFFOLK PUNCH   CRIOLLO   FJORD HORSE
ANDALUSIAN   LIPIZZANER   FALABELLA
TRAKEHNER   AKHAL-TEKE   FELL PONY
MORGAN   QUARTER HORSE   COB

AFRICAN GRASSLANDS

P	K	L	P	F	M	B	V	D	V	L	O	C
V	I	K	O	G	N	I	M	A	L	F	C	R
T	V	O	G	D	F	A	N	I	W	I	R	O
H	U	B	L	A	C	K	R	H	I	N	O	W
O	L	G	N	I	Z	M	Y	C	L	E	C	N
N	T	N	A	H	P	E	L	E	D	A	O	E
K	U	I	C	O	N	E	L	K	E	L	D	D
F	R	R	N	A	C	R	W	L	B	B	I	C
Y	E	P	M	O	N	K	E	Y	E	H	L	R
B	E	S	E	T	H	A	N	T	E	R	E	A
E	L	E	P	H	A	T	W	N	S	I	F	N
A	C	R	A	Z	E	P	Y	B	T	U	E	E
S	U	M	A	T	O	P	O	P	P	I	H	Y

CROWNED CRANE · HYENA · BLACK RHINO
WILDEBEEST · GAZELLE · SPRINGBOK
FLAMINGO · ELEPHANT · MEERKAT
VULTURE · CROCODILE · MONKEY
PYTHON · HIPPOPOTAMUS · LION

```
T C W H I T R I N O E H X
A H A T E E H C O L V W F
G I R P F F E B G T M H I K
T M T E E K A A T B D I K S
I P H R R B E T A K R T S
B A O O O H U N T H A E H
H N G O S T R F C Y P R U
Z Z N I L P P H F R O H D
S E F F A R I G I A E I D
Z E B R K A N V M X L N U
W A R R C H C I R T S O X
N O O B A N T E L O P E G
T O R R J P H W K S V E Y
```

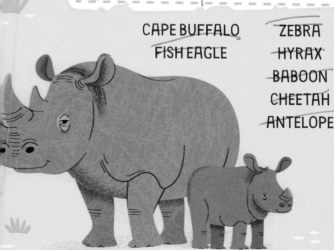

CAPE BUFFALO   ZEBRA   WHITE RHINO
FISH EAGLE   HYRAX   CHIMPANZEE
   BABOON   WARTHOG
   CHEETAH   LEOPARD
   ANTELOPE   GIRAFFE
   OSTRICH
   PARROT
   JACKAL

PACIFIC OCEAN

```
S W H A L E S H A R K E W
F D S N R E T T O A E S L
T U I N A R S F I T H S A
C M F N D A R L N S F G E
G B N T S M N Y K T E I S
I O I T W O I C I U A T
C O R M O R A N T U F N T
S C A O T T E G K C Z T A
O T D P H A G F I S H C H
M O N R S E A I T I E L P
N P A R I N E S H B A A E
D U M B O C T H P U S M L
S S A B A E S T N A I G E
```

DUMBO OCTOPUS   TUNA   GIANT SEABASS

MANDARINFISH   SEA OTTER   BISCUIT STAR

CORMORANT   GIANT CLAM   FLYING FISH

MONK SEAL   WHALE SHARK   HAGFISH

ELEPHANT SEAL

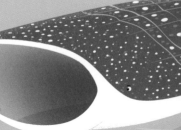

G	I	P	U	F	F	E	R	F	I	S	H	H
D	S	Y	Y	V	O	H	C	N	A	S	S	C
I	D	L	A	B	I	R	A	G	U	I	I	K
U	S	K	R	R	P	D	U	N	F	E	F	L
Q	G	B	O	B	A	T	S	R	U	D	E	J
S	U	N	M	S	N	T	A	R	O	G	L	F
L	L	B	C	B	A	O	N	L	N	I	T	Z
I	S	E	I	R	T	P	E	A	Z	U	T	S
A	A	P	M	N	T	R	A	Y	M	U	U	Y
T	E	L	A	H	W	E	U	L	B	V	C	H
B	S	I	N	A	S	U	M	T	S	A	R	F
O	G	I	A	N	T	O	C	T	O	P	U	S
B	L	U	P	W	A	H	L	E	F	I	S	H

PANAMIC MORAY   SUNSTAR   GIANT OARFISH
BOBTAIL SQUID   ANCHOVY   CUTTLEFISH
BLUE WHALE   MANTA RAY   SEA ANGEL
GARIBALDI   PUFFERFISH   SEA SLUG
GIANT OCTOPUS

THE CONGO

```
C O M F J U K T Z B S L O
T A C N E D L O G Q C F L
R C I T L I O I B H B W A
E R H P E A L L I R O G F
E O N I P O U M E F K P F
P C B N H E P T A F O A U
A O G O A A R E L R A A B
N D G E N Y P N A E F R T
G I D Z T O N E C K T D S
O L E U G D B G E I C V E
L E F N I Z A U J U X A R
I G O H R E V I R D E R O
N C K I M P A N Z F E K F
```

FOREST BUFFALO   GENET   CONGO PEAFOWL
RED RIVER HOG   GORILLA   GOLDEN CAT
CROCODILE   AARDVARK   ELEPHANT
BONOBO   CHIMPANZEE DUIKER
                  TREE PANGOLIN

```
E L T E E B H T A I L O G
B U S H B U C K P Y T O A
L O L I A T H B E R R M B
U K A P L R D C O F I G O
E S H P B W O C Y K M C O
M D E O P X K R J W A F N
O G R P C P I T K R N P V
N B O O Y A P P U R G D I
K E S T H A A T E K A L P
E X H A H Y Q R B R B Y E
Y O R M C B Z R T S E P R
N Z E U M O N E K Y Y E B
R D W S F D R I B N U S G
```

GOLIATH BEETLE   OKAPI   HIPPOPOTAMUS

ROCK PYTHON   DARTER   HAIRY FROG

HERO SHREW   MANGABEY   BUSHBUCK

SUNBIRD   BLUE MONKEY   TURACO

GABOON VIPER

ANTARCTICA

C	T	O	O	H	F	I	S	E	T	A	L	P
R	L	A	E	S	T	N	A	H	P	E	L	E
A	D	E	L	I	E	P	E	N	G	U	I	N
B	A	E	H	F	R	S	E	L	N	T	R	I
E	L	E	P	E	A	N	T	D	E	O	K	U
A	B	U	T	C	O	T	E	I	S	O	T	G
T	A	L	E	I	P	R	I	S	G	T	M	N
E	T	S	P	W	F	V	S	G	R	H	B	E
R	R	O	S	I	H	E	A	L	B	F	T	P
S	O	P	S	E	A	A	L	L	R	I	K	G
E	S	H	I	L	F	E	L	C	I	S	V	N
A	S	U	N	D	E	R	F	E	S	H	Z	I
L	I	A	T	G	N	I	R	P	S	I	N	K

CRABEATER SEAL   ICEFISH   ADELIE PENGUIN

KING PENGUIN   ALBATROSS   BLUE WHALE

SPRINGTAIL   PLUNDERFISH   TOOTHFISH

ROSS SEAL   ELEPHANT SEAL   KRILL

S	W	H	S	I	F	N	O	G	A	R	D	E
L	P	E	L	A	H	W	R	E	L	L	I	K
A	H	E	C	Q	C	R	S	N	W	L	U	C
E	Q	L	P	I	M	Z	H	T	E	S	Q	B
S	N	P	I	L	C	I	P	O	H	N	S	G
L	K	O	P	A	R	E	P	O	S	A	L	P
L	W	U	Y	L	T	A	D	P	F	I	A	N
E	S	T	A	R	R	Y	R	E	M	L	S	T
D	R	A	E	D	G	I	O	N	V	F	S	H
D	V	L	S	S	O	B	D	G	E	I	O	F
E	E	E	L	N	P	O	T	U	M	S	L	O
W	A	R	T	Y	S	Q	U	I	D	H	O	S
L	I	V	E	D	I	C	E	N	O	I	C	P

GENTOO PENGUIN   SKUA   LEOPARD SEAL

WEDDELL SEAL   PETREL   WARTY SQUID

DRAGONFISH   SNAILFISH   EELPOUT

ICEDEVIL   KILLER WHALE   PRION

COLOSSAL SQUID   SALP

NORTH AMERICAN FORESTS

```
F K A E B S O R G E N I P
R G R E A T G R A Y O W L
K E E A E V E O O S M J C
E S D O E S T Y G R L O H
H U N E D B O L W O A E O
C O A O T W Y O D N S N R
G R M A T H O L M E C I U
S G A R I D C L Z L I P S
T Y L C B E A R F Z F U F
R T A I C D N Z L E I C R
M O S C U O B I R A C R O
H O R N E D O W L Q A O G
N S E L A M A N D R P P S
```

PACIFIC SALMON   MOOSE   GREAT GRAY OWL
SOOTY GROUSE   RACCOON   SALAMANDER
GRIZZLY BEAR   HORNED OWL   WOOD BISON
PORCUPINE   CHORUS FROG   CARIBOU
COYOTE   PINE GROSBEAK   WOLF

```
W O L R V I N E T R E S G
E L G A E D L A B E R U O
H A R E H S I F R D L O L
D P L B M O P O S S U M D
F I S K R B E R A Q F M E
S N W C E S H N O U E H N
C E D A R W A X W I N G E
Y B V L D N X N L R E X Y
B E A B A R O Y Z R S F E
R E Q B J T R L N E K Z Q
W T R E N I R E V L O W H
B L L O P D E R E X K J K
F E R A H E O H S W O N S
```

SNOWSHOE HARE   LYNX   CEDAR WAXWING

RED SQUIRREL   REDPOLL   BALD EAGLE

PINE BEETLE   GOLDENEYE   WOLVERINE

OPOSSUM   BLACK BEAR   BEAVER

FISHER   BANANA SLUG   ELK

BUTTERFLIES

```
G N I W D R I B T N A I G
L L E H S E S I O T R O T
P E S C O P K T G L S V U
A M O O H P R O M E U L B
I F R I T I L L A R Y U R
N L N Q H K N D B S C Q I
T R O T C S P E S K L L M
E R S O R Y S E E R F K S
D I M G Y G S Y A P E R T
L M I F L N E A M C H N O
A L R K A I T N L L O R N
D E C I R D W I N G M C E
Y R A L M E T A L M A R K
```

GIANT BIRDWING   COMMA   DINGY SKIPPER

CRIMSON ROSE   BUCKEYE   BLUE MORPHO

METALMARK   FRITILLARY   BRIMSTONE

PEACOCK   PAINTED LADY   ULYSSES

TORTOISESHELL

M	M	O	N	B	L	J	E	S	T	E	R	O
L	A	R	I	M	D	A	D	E	R	W	O	Y
I	M	F	K	F	L	Y	H	B	H	Y	R	T
A	B	V	C	P	R	O	C	I	L	O	E	H
T	E	I	G	O	H	T	R	I	L	R	P	G
W	R	L	A	B	M	L	A	G	T	E	M	I
O	P	M	Z	T	A	M	N	A	U	C	E	Y
L	H	N	G	B	E	A	O	T	Q	I	E	Y
L	A	W	O	R	T	L	M	N	S	V	L	T
A	N	U	B	U	T	A	G	G	B	O	P	H
W	T	J	H	S	A	D	G	N	O	L	R	G
S	O	B	E	R	P	H	A	N	I	M	U	I
G	M	O	N	A	C	H	E	R	O	R	P	E

PURPLE EMPEROR   JESTER

BHUTAN GLORY   RINGLET

COMMON BLUE   WHIRLABOUT

RED ADMIRAL   SWALLOWTAIL

MONARCH   AMBER PHANTOM

EIGHTY-EIGHT

LONG DASH

VICEROY

MADAGASCAR

```
F N A D W A R F L E M U R
H A Q S A L A M O T H L E
E F U H T O M T E M O C D
L D A Y G E C K O T N I I
M A T N T O F R O G A C P
E G I R A F E M E Y L D S
T T C M A L A E R D A G N
V R T E N T O C F O S S A
A Q E T O C I K T F N R C
N P N F C L F D A D X S I
G I R A F F E W E E V I L
A O E M U R L E M R E D E
G Q C E R N E T E C I R P
```

GIRAFFE WEEVIL   FOSSA   PELICAN SPIDER

HELMET VANGA   RED FODY   DWARF LEMUR

COMET MOTH   RICE TENREC   FANALOKA

DAY GECKO   TOMATO FROG   SALANO

AQUATIC TENREC

V	O	N	T	B	B	S	L	I	C	W	Z	T
Q	G	O	G	O	L	D	E	N	F	R	O	G
R	R	E	F	F	U	U	R	D	N	F	C	Q
U	O	L	M	T	E	A	E	R	T	A	V	C
M	U	E	V	A	C	G	A	V	U	L	R	N
E	N	M	U	R	O	K	E	I	A	A	I	S
L	D	A	T	I	U	Y	A	J	B	N	M	V
D	R	H	A	K	A	F	I	S	E	O	G	N
E	O	C	I	E	Y	S	P	G	O	U	H	A
F	L	F	Y	R	Y	I	L	X	A	C	X	M
F	L	A	T	I	D	L	E	A	F	B	U	G
U	E	E	F	E	L	N	O	U	C	U	O	A
R	R	L	R	Q	A	R	I	S	T	N	O	V

LEAF CHAMELEON   INDRI   GROUND ROLLER

RUFFED LEMUR   AYE-AYE   CRAB SPIDER

BLUE VANGA   FALANOUC   BLUE COUA

VONTSIRA   GOLDEN FROG   SIFAKA

FLATID LEAF BUG

POND LIFE

```
N A M T A O B R E T A W U
M A Y F L Y T O L G N A W
D I V I N U L E T S E G E
R P O N R S N F E L N K K
A E O T O N E L E Y Q A A
G R L N Y M P H B N Z E N
O E G G D E R I G L O U S
N Y M P G S H W N X Q T S
F E D I V I N G I B E E S
L T O D A G R A V S N K A
Y Y B A C K S W I M M E R
E S T O N F E L D L E I G
S W A T E R L O U S E N D
```

WATER BOATMAN   NYMPH   BACKSWIMMER

GRASS SNAKE   TURTLE   WATER LOUSE

POND SNAIL   WRIGGLER   DRAGONFLY

MAYFLY   DIVING BEETLE   STONEFLY

S	K	A	T	R	I	D	W	E	N	T	A	L
W	C	N	N	I	M	T	A	O	C	W	E	S
A	A	M	S	Y	L	F	T	H	N	E	S	L
T	B	D	P	O	L	F	E	Y	C	N	M	A
E	E	G	O	L	D	F	R	H	G	N	I	D
R	L	Y	L	F	L	E	S	M	A	D	D	M
S	K	O	N	N	M	I	C	I	E	F	G	L
T	C	L	P	O	F	S	O	R	D	N	E	R
R	I	N	G	D	S	A	R	T	G	D	L	D
I	T	A	L	F	A	S	P	E	L	O	A	N
D	S	O	C	R	P	T	I	O	N	K	R	C
E	G	D	E	L	A	R	O	V	A	N	V	F
R	E	T	A	K	S	D	N	O	P	T	A	W

WATER SCORPION   NEWT   WATER STRIDER

STICKLEBACK   FROG   POND SKATER

CADDISFLY   GOLDFISH   DAMSELFLY

MINNOW   MIDGE LARVA   TADPOLE

LEECH

MANGROVE SWAMP

```
W A N H S I F R E H C R A
B A W A T E R H E N U L P
A R T U R T A L H G O B U
R N U E R G E T N H Z Q R
C A O M R T R A U N T E P
E C L B E M L N G R L G L
V I U R T Y O L E C T M E
O L G O K U A N A D S L H
R E H S I F G N I K Y L E
G P U R P L R O N T I O R
N D S T N A R O M R O C O
A D R I B N U S K Y L R N
M A D J K Y L P F L I C A
```

MANGROVE CRAB   EGRET

WATER MONITOR   SUNBIRD

PURPLE HERON   WATER HEN

ARCHERFISH   SEA TURTLE

KINGFISHER   CORMORANT

BARNACLE   DUSKY LANGUR

PELICAN

```
T A C G N I H S I F N E W
F I S H N S G C A I K M A
W I T E I S J A C A N A N
M A D F C I Q U N D E Z O
U L W D U B L S L L C M E
D A F I L I A D U R A N G
S P O T T E D D E E R L I
K T A R S T R W A C S U P
I R O C D I L C E R K B N
P I G R E H O N R B I L E
P A I N K W M A C A Q U E
E L I D O C O R C T B B R
R E E D D E T T N S A P G
```

GREEN PIGEON   STORK   FIDDLER CRAB
CROCODILE   SAWFISH   FISHING CAT
WHITE IBIS   SEA SNAKE   MACAQUE
JACANA   MUDSKIPPER   BULBUL
SPOTTED DEER

FORESTS OF SIBERIA

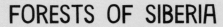

```
S N P E E H S W O N S E R
I Y H R O W N O E A R B L
B R A U N J B L E D H R W
E L Z J K N A V L H S O N
R E E D N I E R G A L W X
I K L M N A S I A V V N F
A U G Y L D I N E A G B E
N B R W N B E R N D E E R
T R O A L X I D E S M A N
I A U R L N Y L D B Q R E
G O S D E O K N L P I K A
E A E G L E W F O L W S E
R E N D I E R L G R O U S
```

SIBERIAN TIGER   ELK   GOLDEN EAGLE

BROWN BEAR   LYNX   SNOW SHEEP

WOLVERINE   URAL OWL   REINDEER

DESMAN   SIBERIAN JAY   PIKA

HAZEL GROUSE

```
C A R E P C A L I L R I E
D G O L D E N E Y E E L Y
R E D F S G N I M M E L B
A M L R L C P L A R D E N
P I N B M O H L R E K H U
O L F W A X W I N G S Y T
E B H L E S U A P Z U L C
L E M U N Q I C G M M W R
R E D S S U I R R L U V A
U S K D E K R E L B A N C
M F E T E R Y P F E N S K
A R P I N E M A R T E N E
W O F L E M M C N E Y E R
```

AMUR LEOPARD   WOLF   GOLDENEYE

RED SQUIRREL   HUSKY   WAXWING

NUTCRACKER   CHIPMUNK   LEMMING

MUSK DEER   PINE MARTEN

SABLE   CAPERCAILLIE

GALAPAGOS ISLANDS

```
B Y E L T R U T N E E R G
N A C I L E P N W O R B I
B R H P I N K I G U A N A
A E E S O G A P B Y L D N
R S E A I F M O R B L D T
C O W N O F O R A O U F T
T N K I G B N A F B G R O
S W N F Y S H U A O A Y R
O O B Y B A R C S L V B T
H C N I F S N I W R A D O
G R E N E T U R T E L O I
R E L A H W D E K A E B S
G A L A P A G O S D O V E
```

BROWN PELICAN   BOOBY   GIANT TORTOISE

COWNOSE RAY   FUR SEAL   DARWIN'S FINCH

GHOST CRAB   PINK IGUANA   GREEN TURTLE

LAVA GULL   BEAKED WHALE   SUNFISH

GALAPAGOS DOVE

C	O	T	O	N	T	R	A	I	L	Q	T	R
R	B	L	A	C	K	W	I	D	O	W	U	A
A	N	E	L	F	O	V	G	U	A	C	R	N
T	I	Z	L	I	A	X	I	K	I	N	K	A
O	G	A	I	M	D	I	L	C	P	F	E	U
R	H	P	W	S	L	A	A	W	M	X	Y	G
T	T	A	R	A	N	D	M	L	O	A	V	I
O	S	T	O	N	A	M	O	R	F	F	U	T
I	N	C	O	T	T	O	N	T	A	I	L	R
S	A	R	P	A	N	G	S	L	A	M	T	E
E	K	A	N	S	E	L	T	T	A	R	U	S
D	E	S	E	R	Y	I	E	U	A	N	R	E
R	A	L	U	T	N	A	R	A	T	S	E	D

TURKEY VULTURE   CICADA   GILA MONSTER

RATTLESNAKE   TORTOISE   NIGHT SNAKE

COTTONTAIL   TARANTULA   ARMADILLO

POORWILL   BLACK WIDOW   ELF OWL

DESERT IGUANA

SHEEP

S	T	E	L	L	I	U	O	B	M	A	R	D
S	U	F	F	L	O	K	A	R	A	K	O	L
L	I	N	C	O	L	S	Z	C	Q	R	J	P
N	I	A	T	N	U	O	M	H	S	L	E	W
R	B	U	L	F	A	C	M	E	R	I	N	O
S	U	L	F	O	L	K	T	V	O	U	L	H
S	I	O	A	L	R	H	C	I	G	N	O	K
B	L	A	K	C	F	A	C	O	E	B	C	A
K	A	R	A	L	K	U	H	T	O	M	N	R
R	M	B	L	U	E	F	A	C	E	A	I	A
E	R	I	H	S	P	M	A	H	A	X	L	K
H	A	S	M	V	F	J	S	C	Y	R	E	U
C	O	R	R	I	E	D	A	L	E	X	S	L

WELSH MOUNTAIN   JACOB   CORRIEDALE

BLACKFACE   CHEVIOT   HAMPSHIRE

KARAKUL   BLUEFACE   SUFFOLK

LINCOLN   CHAROLAIS   DORSET

MERINO   RAMBOUILLET   TEXEL

```
T A O P B A C K B E N G A
O E R Y B T Z S G L R L T
G U E G N A I B U N E A N
G O A M U R N A S E O B P
E R D Y X E P H G G B V M
N K N L A V R C G H A R I
B L A C K B E N G A L S Y
U F L L E N I A S M W A R
R A E N A T G M E E N A D
G R G S N H E A Y G Y N P
V E N I P L A L O U R E W
F C A S H M E R E Z H N R
S F R S G W A A I V J C R
```

TOGGENBURG	PYGMY	BLACK BENGAL
CASHMERE	VERATA	RANGELAND
ANGORA	KALAHARI	GUERNSEY
NUBIAN	LAMANCHA	SAANEN
BOER	FAINTING GOAT	ALPINE

AMAZON RAINFOREST

P	O	M	R	O	W	T	E	V	L	E	V	S	P
I	H	P	L	A	R	A	B	Y	P	A	C	O	H
N	A	C	U	O	T	M	T	C	W	U	I	R	K
K	N	D	A	C	T	A	P	I	R	S	I	E	A
D	I	T	A	M	E	R	I	N	O	T	E	T	R
O	Z	O	N	F	S	I	G	N	C	H	X	T	Q
L	T	E	V	L	O	N	D	O	W	S	V	O	B
P	A	C	A	I	M	A	N	T	Z	I	N	T	M
H	O	W	L	E	R	M	O	N	K	E	Y	N	J
I	H	N	G	T	A	N	A	C	O	N	D	A	L
N	I	A	F	C	M	A	R	I	N	T	G	I	S
M	A	R	S	O	M	E	T	A	N	U	A	G	R
H	O	A	Z	T	I	M	Q	P	A	Z	J	M	S
G	I	A	L	E	E	C	I	R	T	C	E	L	E

POISON DART FROG

~~CAIMAN~~   HOWLER MONKEY

~~VELVET WORM~~   ~~TAMARIN~~   ELECTRIC EEL

~~ANACONDA~~   ~~MARMOSET~~   CAPYBARA

~~HOATZIN~~   ~~GIANT OTTER~~   JAGUAR

~~TOUCAN~~   ~~PINK DOLPHIN~~   TAPIR

```
G I G U A N S L O T H I M J
Y M A O A W R E K Y U E S E
E M M V D D W A C A M L P D
K S I T R H U F G I M Q X V
N H A A J X S C G G I W K E
O H P R O M E U L B N B G L
M C A A W S A T B T G V O G
R N R N E N K T S J B P A A
E D A T A Q T E R M I T E E
D G V U P E W R L R R L X Y
I P N L O B V A A C D F E P
P G I A N T A N T E A T E R
S L O A T H H T F L S V F A
N H U O J A K N I K W R E H
```

LEAFCUTTER ANT   MACAW   GIANT ANTEATER

HUMMINGBIRD   PIRANHA   HARPY EAGLE

TARANTULA   ARAPAIMA   KINKAJOU

BUSH DOG   BLUE MORPHO   IGUANA

TERMITE   SPIDER MONKEY   SLOTH

THE DEEPEST SEA

```
T B O B L E E R E P L U G S
V L A N T E R N F I S H M E
F A C E L E S S C U S K G A
N C M B E R S O K I S N Y C
E K S P O E M L F L O S E U
P S E A I B E D I P P R T C
A W A M J R O M S A L P I U
E A C E L P E S H U T K C M
S L L E I H S S A C Y T R B
G L P R E A L A Q T E R A E
Y O T A L C R A B U W O B R
R W D G S P O O K F I S H A
L E E H S I F B O L B D I B
M R O W E B U T T N A I G H
```

BLACK SWALLOWER

VAMPIRE SQUID

LANTERNFISH

GULPER EEL

YETI CRAB

SEA PEN

BLOBFISH

SLIMEHEAD

COMB JELLY

GLASS SPONGE

GIANT TUBEWORM

TRIPODFISH

SPOOKFISH

RATTAIL

SEA CUCUMBER

FACELESS CUSK

```
G A N G L E R F I S H K M S
W I F I S H S T S E A R R T
H A A A G F I S H A O A O F
N E R N N Y C R A W R H W O
V A R T T G O B I H S S E O
I S N I Y J T I Q I D N I T
P P O S M S E O M P E I B B
E I Z O N P E L O D S L M A
R N G P M I S A L T E B O L
F Y T O S E P A D Y H O Z L
I C P D E V I E L E F G Q F
S R E D I P S A E S V I R I
H A G F I S H Q Y E T I S S
F B D I U Q S S S A L G L H
```

GIANT JELLYFISH   HAGFISH   FOOTBALLFISH

GOBLIN SHARK   SNIPE EEL   GIANT ISOPOD

ZOMBIE WORM   SPINY CRAB   FANGTOOTH

ANGLERFISH   GLASS SQUID   SEA SPIDER

VIPERFISH   POMPEII WORM   SEA WHIP

WARTY SEADEVIL

THE HIMALAYAS

```
L G R E D P K O K L A S S E
A N O L E I C N L G N U B D
N I C E L C U C K O S W L N
O W K A F H D R W L I N O I
M D G R I R L L C D E L O H
N R E B L U E S H E E P D I
A I C Y E O H D I N P H P R
Y B K S P I S B P L P R H E
E N O A I N Y T U A C G E S
P E R K A R D P T N N H A I
M D R U V H D E F G W D S A
I L C H I R U U R U J Y A K
B O K C E Q R C O R G A N I
N G F L O W N A T E B I T S
```

YAK
ARGALI
GOLDEN BIRDWING
KOKLASS
IMPEYAN MONAL
ROCK GECKO
BLUE SHEEP
TIBETAN WOLF
GOLDEN LANGUR
KAISER-I-HIND
RED PANDA
RUDDY SHELDUCK
SNOW LEOPARD
CHIRU
BLOOD PHEASANT

```
W O B B F G O G N D I C O M
L I T T L E P E N G U I N U
S W H M R A T U S C G P M S
P A A T O O C I D N A B Q S
J L L H F I S K O N R A U O
W L A B Y G O G S N B G O P
H A G D N B E C N W A X L G
N B W O M B A T D R A G L N
P Y G M B Y I Y G W Y N O O
D U B O X J E L L Y F I S H
D G W N G N I C B O T U S L
N O G A R D A E S Y D E E W
L I T T L E P E G N U M S R
T O R R A P S U T C E L C E
```

WEEDY SEA DRAGON	QUOLL	LITTLE PENGUIN
BOX JELLYFISH	WOMBAT	BLACK SWAN
WOBBEGONG	BANDICOOT	WALLABY
DUGONG	SUGAR GLIDER	POSSUM
GALAH	ECLECTUS PARROT	BILBY

BALEEN WHALES

P	L	E	L	A	H	W	D	A	E	H	W	O	B
Y	U	S	L	T	T	A	M	G	M	Y	B	L	E
G	R	E	L	A	H	W	G	N	O	R	W	L	L
M	F	I	N	W	H	A	L	E	A	E	A	R	A
Y	A	W	B	R	T	W	B	O	W	H	I	A	H
B	O	H	E	L	D	H	S	G	W	G	E	R	W
L	E	A	D	H	U	W	R	E	H	B	I	K	S
U	R	L	A	S	W	E	K	T	D	G	A	I	A
E	L	E	H	W	T	N	W	H	R	Y	T	W	R
W	H	A	L	E	I	H	S	H	J	T	R	V	U
H	L	E	O	M	A	R	U	W	A	M	A	B	M
A	R	A	T	L	H	A	L	N	B	L	V	K	O
L	A	D	E	F	P	X	G	J	P	I	E	L	B
E	L	A	H	W	K	C	A	B	P	M	U	H	N

PYGMY BLUE WHALE   HUMPBACK WHALE

BRYDE'S WHALE   SITTANG   BOWHEAD WHALE

RIGHT WHALE   BLUE WHALE   MINKE WHALE

FIN WHALE   OMURA'S WHALE   SEI WHALE

TOOTHED WHALES

```
S T E L A H W M R E P S C P
U P K U F N A L U H B T Q O
L A I H S G A J E D M R M D
A R L N U U X I L C T I M U
H V L L N I S Q A Z X P N S
W B E A K E D W H A L E I K
R B R P O I R S W E W D X Y
A T W I B E L D T G A D U B
N I H P L O D N O M M O C O
I V A Q U I T A L L A L U L
H W L A E S S O I G P P T P
P I E L O T W H P L E H E H
E S I O P R O P H I N I I I
L E F R A N C I S C A N A N
```

COMMON DOLPHIN
DUSKY DOLPHIN
KILLER WHALE
VAQUITA
TUCUXI
SUSU
BHULAN
PILOT WHALE
BEAKED WHALE
SPINNER DOLPHIN

BOTO
BELUGA
PORPOISE
NARWHAL
FRANCISCANA
STRIPED DOLPHIN
SPERM WHALE

INCREDIBLE INSECTS

```
E L T E E B H T A I L O G A
X F I R F E L Y E D H U X L
E S I L K M O T H T B Q C G
L I V E E W E S O N E S O H
T C Q W K I O M I A H U W O
E A I R E M K S O G I N K S
E D L C K E S L H N F S I T
B D U L A A B E K I F E L M
G I I S S D H E R D W T L A
N S A S A S A E U O M M E N
U F A I R Y F L Y L R O R T
D L I V E L E W S P B T S I
E Y E D Y F L Y D X S H E S
H O S T A L K E Y E D F L Y
```

EXPLODING ANT
DUNG BEETLE
CADDISFLY
BLUE BEE
FIREFLY

CICADA
SILK MOTH
ASSASSIN BUG
GHOST MANTIS
STALK-EYED FLY
HOSE-NOSE WEEVIL
GOLIATH BEETLE
SUNSET MOTH
COW KILLER
FAIRYFLY

THE ANDES MOUNTAINS

K D E A N C V P T I N A G W
C R I P A T N I A T N U O M
O A L H C N I H C H L O R N
R Z K C O C K N N U D Q F A
E I A C G U A N A C O B L L
H L O G U E H U E M U L A L
T D G U H D A C D S O L I I
F O N R E N T D N C K U P H
O O I V I C U N A W E R U C
K W M N T A P I E R A Z S N
C J A A C U N I V R H R R I
O L L I D A M R A Y R I A H
C I F U N A G U A N C O M C
H I N C I A L F R O C K T V

COCK-OF-THE-ROCK   PUDU   HAIRY ARMADILLO

MOUNTAIN TAPIR   VICUNA   WOOD LIZARD

ANDEAN CAT   CHINCHILLA   FLAMINGO

GUANACO   TORRENT DUCK   HUEMUL

TINAMOU   MARSUPIAL FROG   RHEA

AMPHIBIANS

F	I	R	E	D	N	E	B	L	L	E	H	D	C
I	N	R	U	B	Y	E	Y	E	D	T	O	A	D
R	D	G	L	A	S	P	O	G	F	N	E	O	A
E	I	O	O	D	P	R	C	A	E	C	L	T	T
S	A	R	B	U	L	L	P	R	I	O	G	T	W
A	N	F	P	A	D	F	T	L	X	L	D	O	E
L	B	D	T	D	O	A	I	O	A	F	O	O	N
A	U	E	D	P	A	A	P	S	L	D	Y	F	D
M	L	W	C	D	N	O	S	I	F	O	W	E	E
A	L	A	X	O	L	F	T	R	L	N	X	D	T
N	F	L	Y	I	R	G	O	E	O	G	F	A	S
D	R	C	F	O	R	G	F	N	N	D	E	P	E
E	O	B	G	R	E	F	N	F	R	A	G	S	R
R	G	O	R	F	G	N	I	Y	L	F	C	E	C

FIRE SALAMANDER   AXOLOTL   SPADEFOOT TOAD

RUBY-EYED TOAD   CANE TOAD   CLAWED FROG

FLYING FROG   GLASS FROG   HELLBENDER

WOOD FROG   CRESTED NEWT   MUDPUPPY

CAECILIAN   INDIAN BULLFROG   SIREN

```
D G O R F G N I K N I R H S
G L W A T E R D O G A E S U
R A T I M A N U R I S D U R
E L W N O P A R N D F N L I
E R E F T O H B D M K A E N
N A N R M L O I T J C M O A
T E Y O U W B F U T B A P M
O L B G F A E A J M U L A T
A M B R T D H N T R A A R O
D A O T E F I W D I M S D A
W G N R N A I B Q W F E T D
E N K G O R F H T A I L O G
N A T T E R J A C K T O A D
T O F E D A P S T A O M D S
```

MOLE SALAMANDER   RED EFT   NATTERJACK TOAD

LEOPARD TOAD   WATERDOG   SHRINKING FROG

GOLIATH FROG   MIDWIFE TOAD   RAINBOW FROG

SURINAM TOAD   KNOBBY NEWT

GREEN TOAD

AMPHIUMA

RAIN FROG

OLM

```
S C H S I F R E V E E W N M
E P A R O T F S H S Q U I D
A O A M B E R J A C K P H U
W R E C K F I S H O A E C S
S C A M B E S S A R W N R K
S E U T R K I Q R P T G U Y
U L Z N S F L O D I Q O A G
L A W N G N T S C O M B E R
G I D O G F O S H N N Y S O
Y N D U I Q S I A F Q R E U
N C N S U F I S H I O N S P
W R H S S M O N K S E A L E
R A P R O T F I S H U I D R
Y B O G N E D L O G R C T A
```

PORCELAIN CRAB

WRASSE

CUSHION STAR

MONK SEAL

GOLDEN GOBY

AMBERJACK

WRECKFISH

SCORPIONFISH

DOGFISH

DUSKY GROUPER

COMBER

PARROTFISH

SQUID

WEEVERFISH

SEA URCHIN

O	R	R	W	E	V	R	E	D	B	A	C	K	R
T	R	E	D	I	P	S	N	I	A	R	C	X	E
A	E	D	D	L	T	B	A	C	K	A	T	B	D
R	V	I	L	I	A	A	X	R	B	J	A	C	I
B	A	P	O	S	P	I	R	E	D	N	R	E	P
L	E	S	A	B	A	S	L	A	A	K	N	A	S
A	W	R	E	D	E	D	G	N	N	A	B	A	N
C	B	A	N	A	D	W	A	N	W	T	Q	S	E
K	R	L	C	I	A	S	L	P	I	I	U	A	D
W	O	L	F	S	P	I	D	E	R	P	J	L	R
I	R	E	D	I	P	S	Y	E	N	O	M	Y	A
D	T	C	D	B	W	E	A	V	R	N	A	U	G
O	R	E	W	E	N	A	M	S	T	N	U	H	J
W	R	E	D	I	P	S	C	A	S	P	D	F	R

JUMPING SPIDER ORB-WEAVER FUNNEL-WEB KATIPO

BANANA SPIDER WOLF SPIDER FIDDLEBACK REDBACK

GARDEN SPIDER BLACK WIDOW TARANTULA HUNTSMAN

CELLAR SPIDER MONEY SPIDER RAIN SPIDER SAC SPIDER

JAPAN

C	B	A	R	C	R	E	D	I	P	S	X	J	J
R	Y	U	K	Y	U	F	R	U	I	T	B	A	T
R	E	E	F	D	O	X	U	Y	K	U	P	P	P
S	I	Y	L	F	E	R	F	O	A	A	R	A	U
T	W	T	A	L	I	K	I	S	N	Y	A	N	F
E	V	A	R	Q	O	C	A	E	A	D	Q	E	F
D	N	C	F	Z	A	W	S	N	E	T	Y	S	E
I	L	D	E	R	U	E	T	R	S	M	O	E	R
B	U	R	P	H	S	F	E	A	I	U	S	C	F
I	K	A	R	E	E	D	A	K	I	S	B	R	I
S	D	P	R	C	F	I	R	E	F	L	Y	A	S
L	A	O	P	O	R	D	C	V	T	A	D	N	H
J	W	E	X	L	T	E	V	I	N	I	M	E	B
S	F	L	Y	I	N	G	S	Q	U	I	D	N	V

RYUKYU FRUIT BAT
LEOPARD CAT
MINIVET

JAPANESE CRANE
SPIDER CRAB
FIREFLY

RED FOX
SIKA DEER
YELLOWTAIL
HABU SNAKE
FLYING SQUID

PIKA
KOI CARP
PUFFERFISH
CRESTED IBIS
JAPANESE SEROW

```
B L E S A E W J T M D R J H
L T A M Y M I A B B A U T M
U I G A E N P H E A S N F I
E B W M O N K A B F A R A I
K B L U E F I N T U N A S S
A A F S H W O E O L S C A H
N R S H E O L S W M R C E O
S I M I M A S E H I W O H W
E M A R T V E M N E C O P L
T A C H U M S A L M O N N F
I M O O N B A R G E N D E S
H A L N A K R T V L D O E A
W H I T E E Y E F E E G R F
T E N R O H T N A I G I G A
```

JAPANESE MARTEN   FISH OWL   GIANT HORNET

RACCOON DOG   WHITE-EYE   CHUM SALMON

BLUEFIN TUNA   AMAMI RABBIT   WHITE SNAKE

MOON BEAR   SNOW MONKEY   SEA EAGLE

MAMUSHI   GREEN PHEASANT   WEASEL

NEW GUINEA

```
C S B R O N S Q U O L V W E
L P I N K U N D E R W I N G
L A R N P T A C U S L Y O R
O N D O G I H S N D G R G E
U A O R P I A P B O F A A E
Q U F L D D N O S U R W R N
E S P N E K A G A R N O D T
Z L A E B R J M D I N S G U
N I R D P R A D I O E S N R
O S A S T R A P I A G A I T
R E D I L G R A G U S C Y L
B R I P A P U A N E A G L E
R U S A O E N R H G Q R F A
N O E G I P D E N W O R C S
```

ASTRAPIA   BIRD-OF-PARADISE   SINGING DOG

BRONZE QUOLL   FLYING DRAGON   GREEN TURTLE

PINK UNDERWING   SUGAR GLIDER   CROWNED PIGEON

PAPUAN EAGLE   CASSOWARY

AMAU FROG   WILD BOAR

RUSA DEER

ECHIDNA

```
P R W S W A L L O W T A I L
E I O D O E D P I Y O H U I
S U A T A R Y L L O O W L A
Q H H S I F W O B N I A R N
U O S H O N E Y E E A T R S
E T R E E M O Y N Y T O U E
T I S P A D E M L E O C N E
S P E E K A N G A E S O O R
P D O W T A B T I U R F S T
A E P E S Q U E C L P A R N
R D R I B R E W O B Y A Q E
R O T I N O L E M E D A P E
O O R A G N A K E E R T A R
T H O R N B I L L N E F R G
```

PESQUET'S PARROT   BLUE-EYE   GREEN TREE SNAIL

TREE KANGAROO   FRUIT BAT   PAPUA MONITOR

BOWERBIRD   WOOLLY RAT

HONEYEATER   PADEMELON

SWALLOWTAIL   HORNBILL

RAINBOW FISH   CUSCUS

HOODED PITOHUI

GOBI DESERT

```
S D E L G A E N E D L O G Y
I E I R S I B E L Z C A T T
B S A L T O A D M E R N O A
E E E G A L C E K R L J A D
R R S B A G T I R E A N D P
I T R A C E R U N N E R H O
A M O L S H I A M P A S E L
N O H R S E A W I L D R A E
I N D Z E R N E L B H A D S
B I L X O F C A S R O C A H
E T I K K C A L B E O G G R
X O W A G A M E L A P R A I
J R B O A D E S E R O L M M
T A C S A L L A P A E L A P
```

BACTRIAN CAMEL   HOOPOE   DESERT MONITOR

TADPOLE SHRIMP   BLACK KITE   SIBERIAN IBEX

RACERUNNER   GOBI ARGALI   CORSAC FOX

PALLAS CAT   GOLDEN EAGLE   WILD HORSE

DZEREN   TOADHEAD AGAMA   SHRIKE

AMERICAN PRAIRIE

```
G D R U P S G N O L B I T P
P R W H I T E T A I L Y M R
D I R B R E M U B E I A E A
R B T S N A E O K K S D R I
J R G K R E K A N S T A R R
R E D O T A N L A A E H N I
W H I T P S A S I G R P R E
U C O Y L H A L T E B C O C
S T A L R U E B N G E R H H
B U U L G D S R N R E K G I
R B T A H K C O Y O T E N C
M A S A U S G R O U L E O K
C O W B I R D G X S E E R E
H K W A H D E L I E R B P N
```

RED-TAILED HAWK   GOPHER   PRAIRIE CHICKEN

MASSASAUGA   WHITETAIL   SAGE GROUSE

PRONGHORN   LONGSPUR   BULLSNAKE

RAT SNAKE

COWBIRD

COYOTE

MONARCH

BUTCHERBIRD

BLISTER BEETLE

CHINA

```
B I G R E E N M A G P I E H
A L L I A U Q G N I K B S O
R O T A G I L L A A N I H O
B E K A C N R A D N F B Q L
C T T A R O M U N T J A C O
P R L S I O E T A C A M S C
A E I B M B O C P E L B F K
L E T C C A T F T N S O H G
M D U Q K N H M N T L O J I
C R I C A E T O A I C R A B
I A L I G A T O I P R A G B
V G G O L D E N G E I T P O
E O H S I F E L D D A P E N
T N A S A E H P N E D L O G
```

CRICKET   GOLDEN PHEASANT   HAMSTER

ALLIGATOR   GIANT CATFISH   PALM CIVET

TREE DRAGON   BAMBOO RAT

KING QUAIL   GIANT PANDA

MUNTJAC   HOOLOCK GIBBON

GIANT CENTIPEDE

GREEN MAGPIE

PADDLEFISH

```
P L D A O T F A E L D A E D
Y W O F L S P I D T R B A H
G O R F S N I W R A D U S S
M D E D S R W I N B R I C I
Y E K A I E Y D I D F A H F
S N R E B S A U M E H S A M
E R A H C D P D P R I E M U
A O A R M G R I R F C T E S
H H O E R S P A G A M Y L S
O T O P S T L O P P G R E A
R A D P S H R E P O C O O G
S E W O L F S P I D E R N R
E R H C D I D Y T A K L S A
A G M I M I C O C T O P U S
```

DEAD LEAF TOAD

MIMIC OCTOPUS

COPPERHEAD

KATYDID

SEA DRAGON

WOLF SPIDER

CHAMELEON

RED BAT

LEOPARD

GHOST PIPEFISH

PYGMY SEAHORSE

GREAT HORNED OWL

SARGASSUM FISH

DARWIN'S FROG

FROGFISH

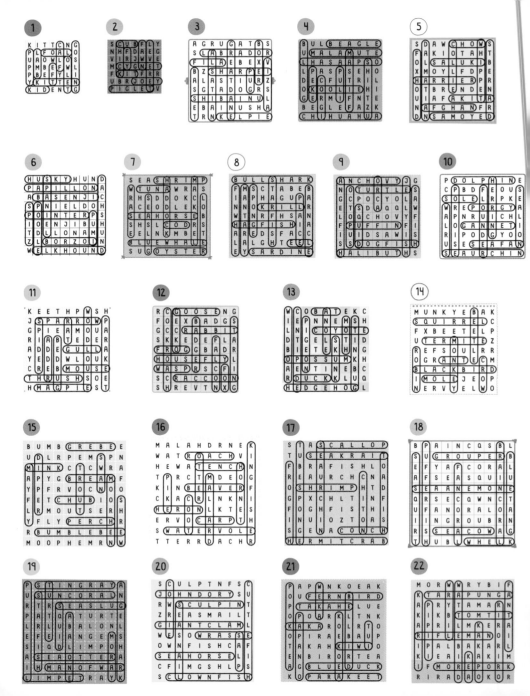

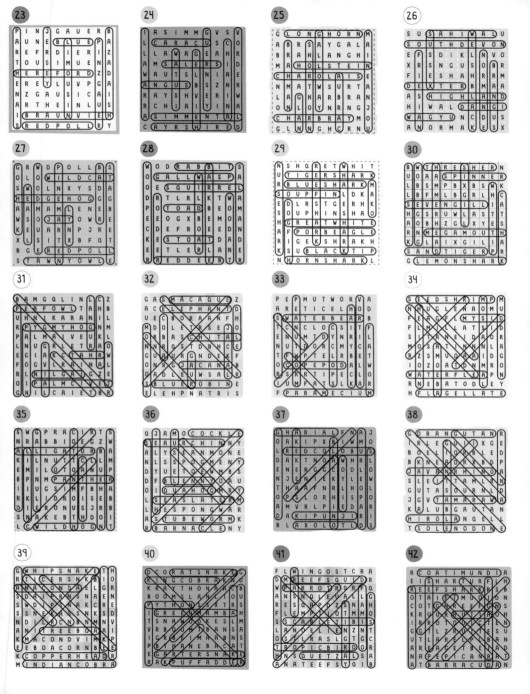

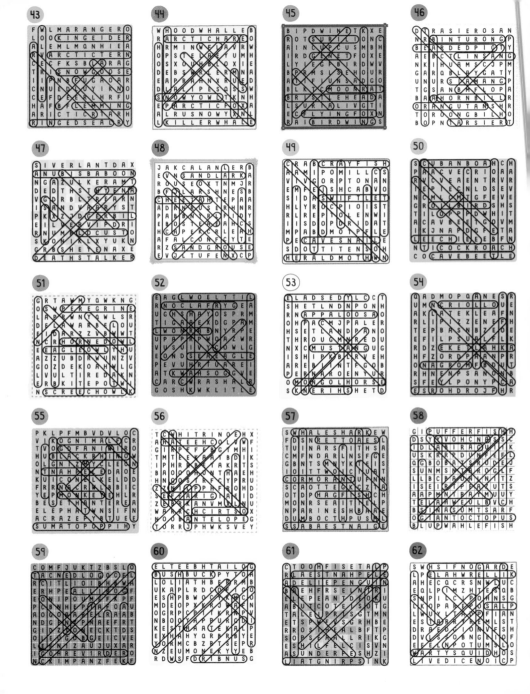

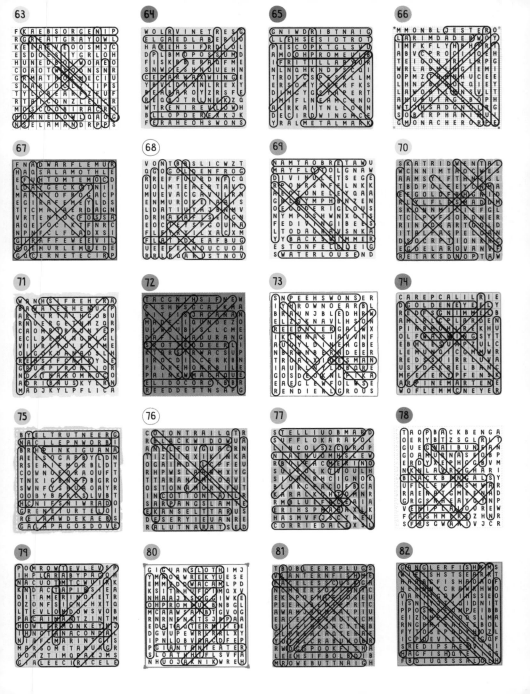

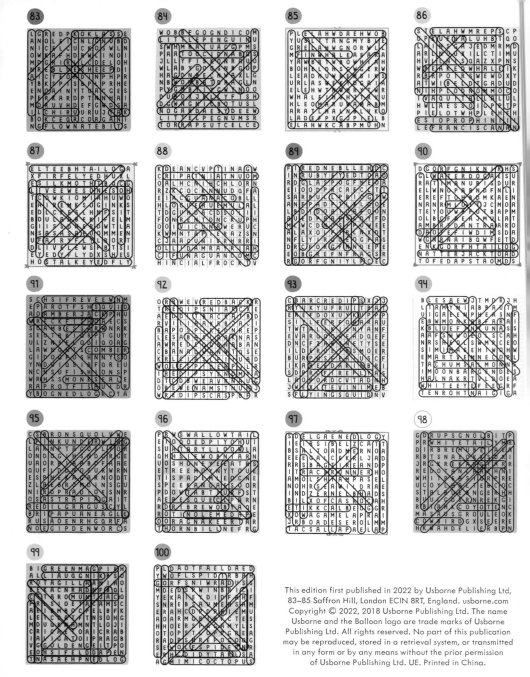

This edition first published in 2022 by Usborne Publishing Ltd, 83–85 Saffron Hill, London ECIN 8RT, England. usborne.com Copyright © 2022, 2018 Usborne Publishing Ltd. The name Usborne and the Balloon logo are trade marks of Usborne Publishing Ltd. All rights reserved. No part of this publication may be reproduced, stored in a retrieval system, or transmitted in any form or by any means without the prior permission of Usborne Publishing Ltd. UE. Printed in China.